Une mère dit à sa fille :
— Juliette, viens m'aider à changer ton petit frère.
— Pourquoi, il est déjà usé ?

qu... une... — O.K.
— Alors, commence par rire !

Quelle est la différence entre la Lune et la bombe atomique ?
La Lune est un astre et la bombe atomique un désastre !

C'est un garçon qui est dans la rue avec son père :
— Papa, tu as vu la belle voiture ?
— Oui, je l'ai vue...
— Papa, tu as vu le policier ?
— Oui, je l'ai vu...
— Papa, tu as vu l'avion ?
— Oui, je l'ai vu...
— Papa, tu as...
— OUI, JE L'AI VU !!!
— Ben alors, pourquoi tu as marché dedans ???

Les 16 épisodes de cette compilation sont précédemment parus
dans la collection Tom-Tom et Nana : 34 tomes chez Bayard BD Poche.
Les scénarios ont été créés par Jacqueline Cohen et Évelyne Reberg.
Les dessins ont été réalisés par Bernadette Després.

Merci à Pierre Hovnanian ainsi qu'à Lilas Carpentier pour leur aide précieuse.

© Bayard Éditions 2014,
Isbn : 978-2-7470-5105-7
Dépôt légal : mars 2014
Imprimé en Italie par Rotolito Lombarda

Tom-Tom et Nana sont des héros du magazine *J'aime lire*

Tom-Tom et Nana
Super fêtes et big boulettes

Scénarios : Jacqueline Cohen et Evelyne Reberg
Dessins : Bernadette Després
Couleurs : Catherine Viansson-Ponté
et Rémi Chaurand

bayard jeunesse

Le meilleur de Tom-Tom et Nana
Super fêtes et big boulettes

Les invités sont culottés

Le vrai Père Noël

20

Les Tom-Tomawaks sont là

25

27

Un trésor d'anniversaire

La galette des fous

la galette des fous

51

Vous parlez d'un cadeau !

Vive les mariés!

69

Folle fête, mamounette !

Folle fête, mamounette

79

83

La frisée du réveillon

Nanard et Tom-Tomette

Nanard et Tom-Tomette

Ris, Bouboule !

Le club des beautés

BOUM!

BOUM! BOUM!

Allez! Laissez-nous entrer!

Moi, je ferai le photographe!

Et moi le maquilleur!

Quels casse-pieds! Comment s'en débarrasser?

J'ai une idée!

On va les envoyer en mission!

Ouais!

On vous prend à une condition!...

Vous nous rapportez tout le maquillage de Marie-Lou!

217.4

119

La reine rapeuse

La reine rapeuse

123

Star de choc

Star de choc

133

135

Gare à l'étrangleur !

142

143

La boule de minuit

La boule de minuit

152